当代书法名家◎中国书法家协会草书专业委员会专辑

苏延军

海风出版社
HAIFENG PUBLISHING HOUSE

图书在版编目（CIP）数据

苏延军专辑 / 苏延军书.—福州：海风出版社，2008.11
（当代书法名家. 中国书法家协会草书专业委员会专辑；10/ 胡国贤，李木教主编）
ISBN 978-7-80597-829-1

Ⅰ.苏… Ⅱ.苏… Ⅲ.草书－书法－作品集－中国－现代 Ⅳ. J292.28

中国版本图书馆 CIP 数据核字（2008）第 177069 号

当　代　书　法　名　家
中国书法家协会草书专业委员会专辑
苏延军　专辑

策　　划：焦红辉
主　　编：胡国贤　李木教
责任编辑：窦胜龙　叶家佺
装帧设计：叶浩鹏　吴德才

出版发行：海风出版社
（福州市鼓东路 187 号 邮编：350001）
出 版 人：焦红辉
印　　刷：福建彩色印刷有限公司
开　　本：889×1194 毫米 1/16
印　　张：4
版　　次：2008 年 11 月第一版
印　　次：2008 年 11 月第一次印刷
书　　号：ISBN 978-7-80597-829-1/J·177
定　　价：798.00 元（全套 21 册）

苏延军

1955年生，吉林省前郭人。研究生学历。中国书法家协会草书专业委员会委员，吉林省书法家协会副主席。曾任中国书法家协会评审委员会委员。多次参加中国书法家协会主办的全国书法展的评审工作。作品被选送新加坡、韩国、法国、日本等国展出。作品及传略载入《中国当代艺术界名人录》、《历届全国书法篆刻展、历届全国中青年书法篆刻展获奖作者书法集》、《当代书画篆刻家辞典》等。主要著作有《苏延军书法·乙酉集》、《苏延军书法·丙戌集》、《苏延军书法·丁亥集》、《苏延军书法·戊子集》。

序

两个多月前，经李木教委员搭桥，由海风出版社出版《当代书法名家》丛书，第一辑为中国书法家协会草书专业委员会专辑，每个委员一卷，既能反映每位书家个人的艺术风采，又能体现草书委员会的整体实力、整体风貌，还能彰显当代草书创作的一些境况和情势，一举多得，令人兴奋。

草书专业委员会成立于2006年，是中国书法家协会下设的几个专业委员会之一，职责是专事草书方面的研究、创作等。共有委员二十一人（原二十二人，副主任周永健先生今年五月因病故去）。年龄最大者六十几岁，最小者三十几岁，都是活跃在当今书坛的实力派书家。

这二十位书家，每个人都在草书上卓有建树，功力既深，格调亦高，个性风格鲜明而强烈。他们都以传统为师，在传统中孜孜以求，精益求精。并在此基础上，广涉博取，锐意开拓，大胆突破，开辟新境界。因而他们的作品无论气象还是内涵上，都很耐人寻味，颇富艺术感染力。

海风出版社将这么多书家和他们的作品结集出版，诚是一着高棋，定会令人一饱眼福，并从中获得一些有益的启示。

本人作为草书委员会的一员，能和诸书友一道共同参与这个盛事，深感荣幸。借本书出版之际，谨向海风出版社表示诚挚的谢意。希望本书能受到欢迎。也诚望能得到批评指正，以期有更大的长进，不辜负书友和通道们的厚望。

聂成文

二〇〇八年八月八日

作品

文以载道史以载事
义者为己仁者为人

万壑泉声广长传妙谛
千峰云影空有现真如

花径不曾缘客扫
蓬门今始为君开

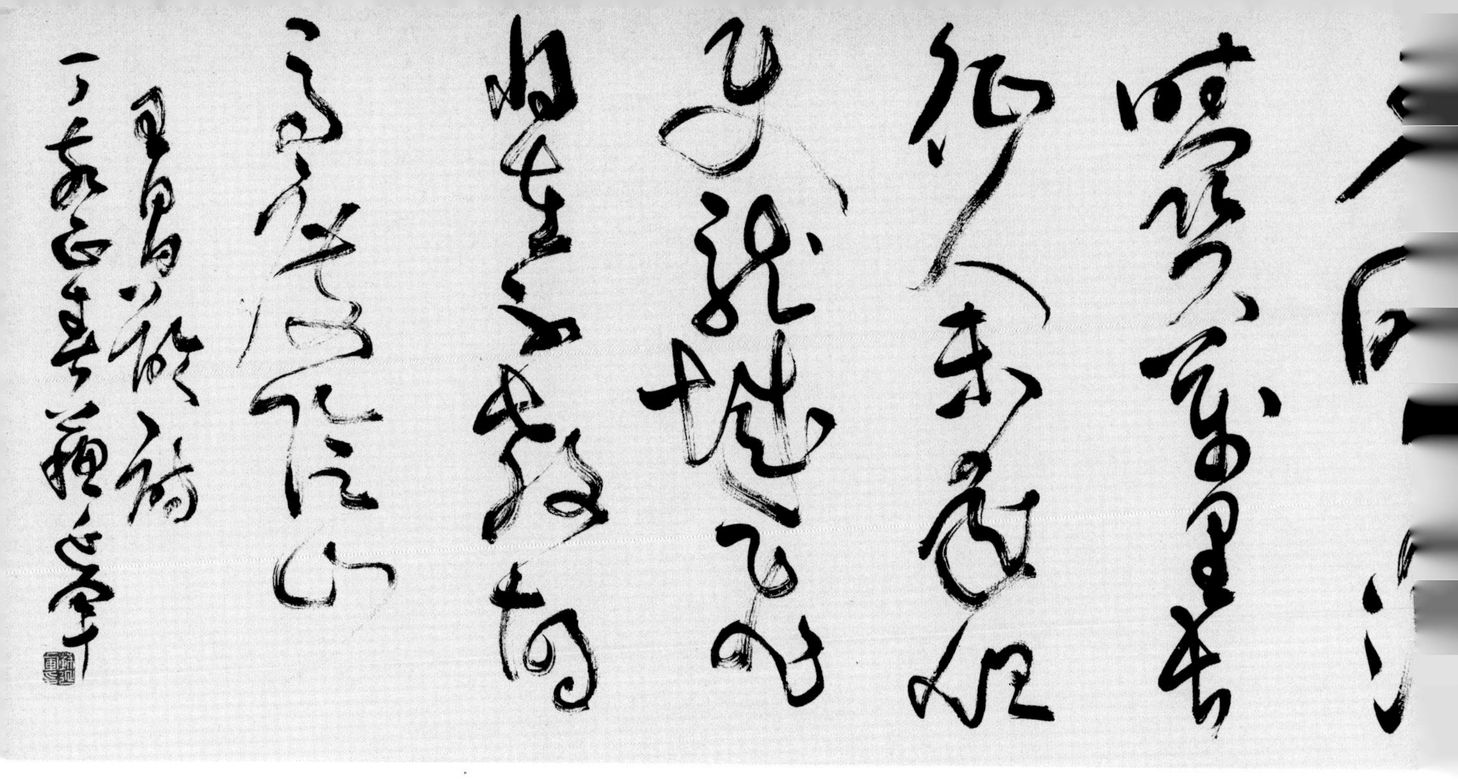

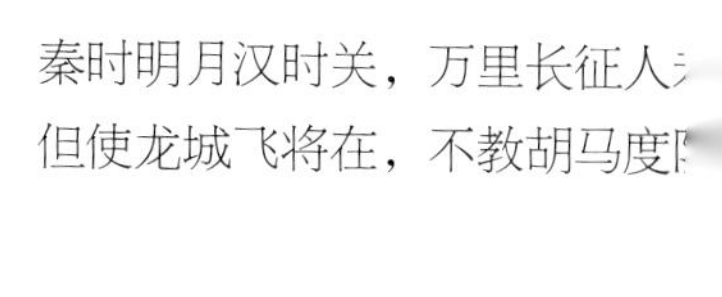

秦时明月汉时关，万里长征人
但使龙城飞将在，不教胡马度

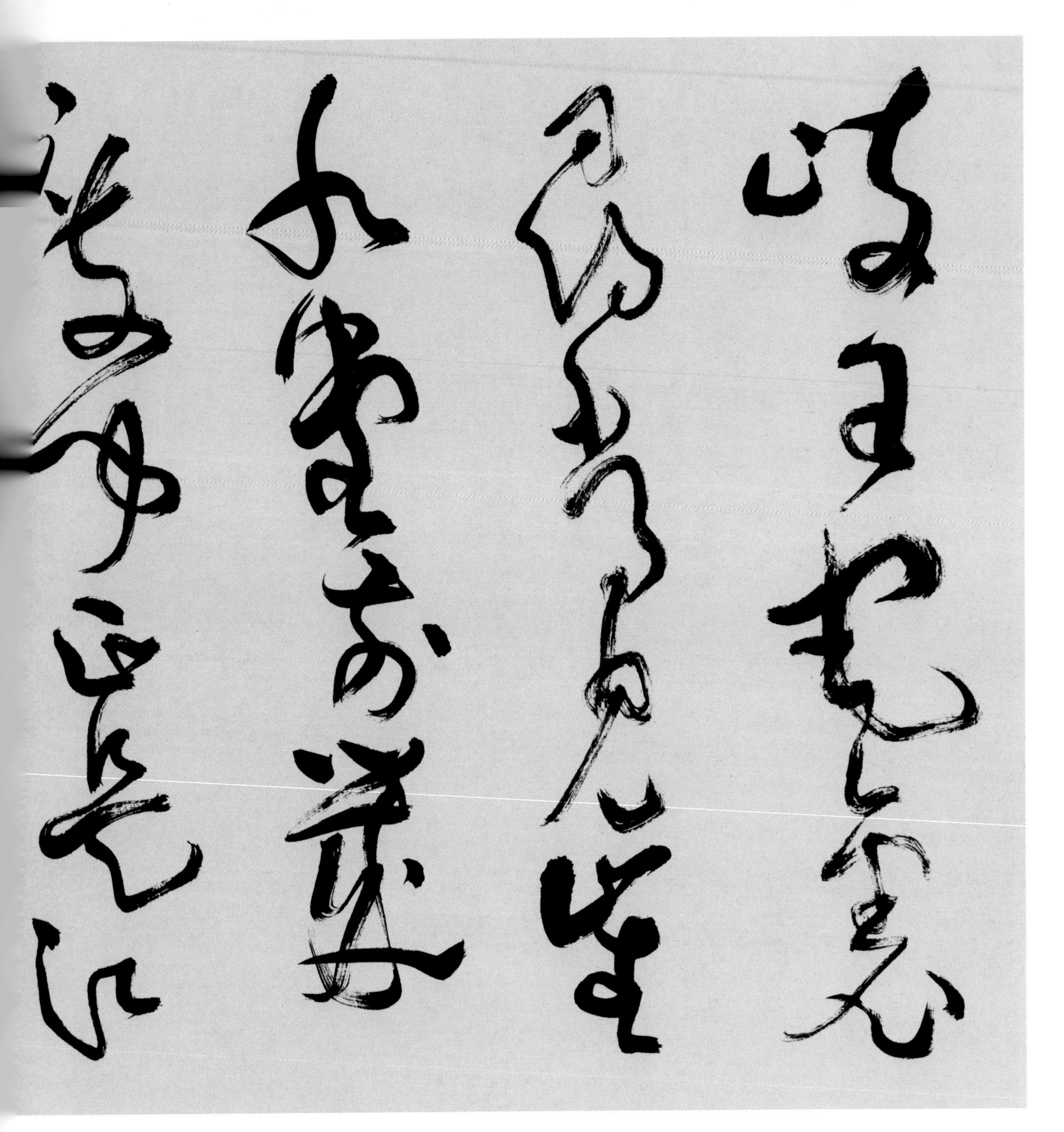

岐王宅里寻常见，崔九堂前几度闻。
正是江南好风景，落花时节又逢君。

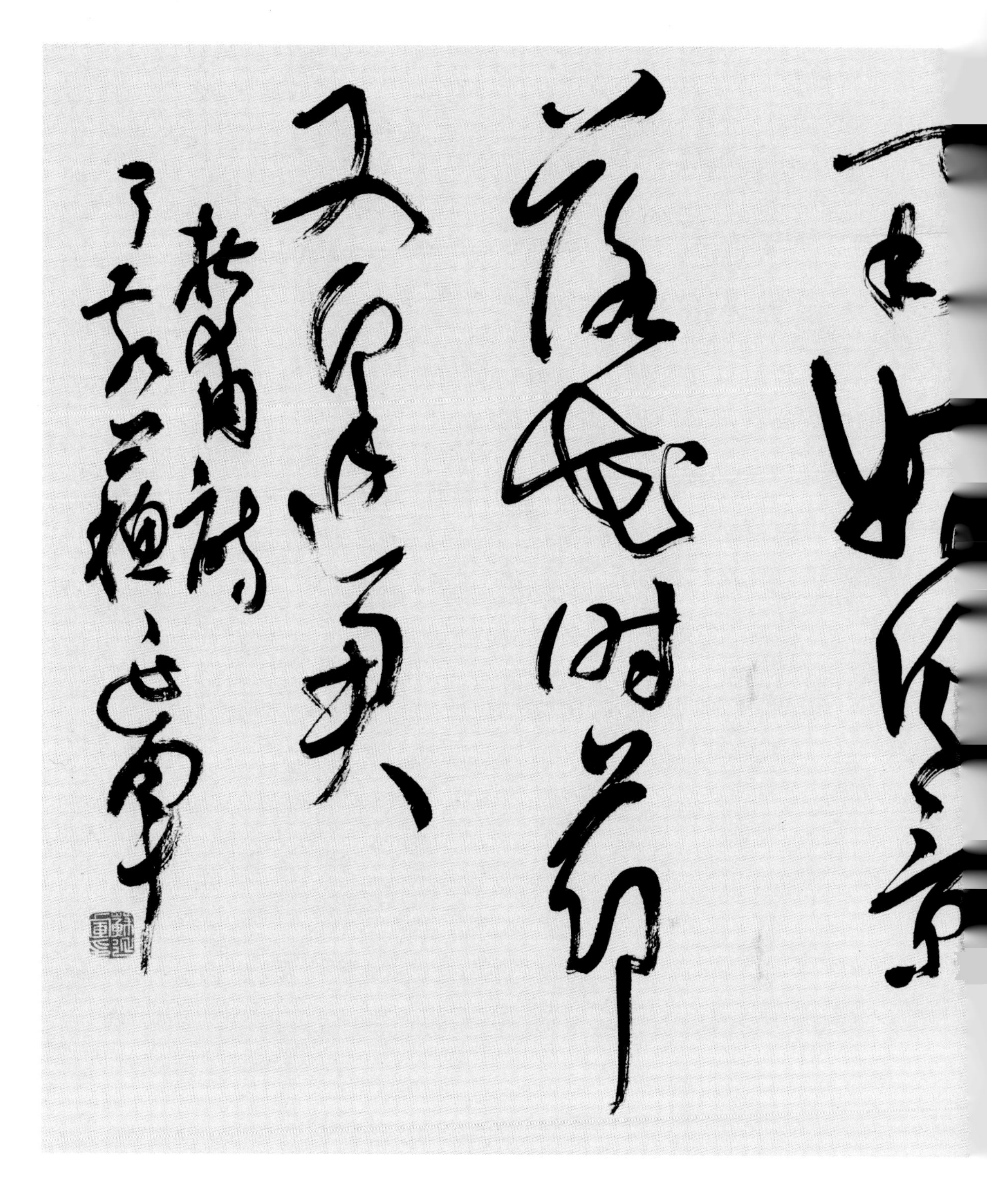

无意群芳竞艳芬，溢香不问富和贫。
清寒不作东风怨，水润仙姿为报春。

结庐在人境，而无车马喧。问君何能尔，心远地自偏。采菊东篱下，悠然见南山。山气日夕佳，飞鸟相与还。此中有真意，欲辩已忘言。

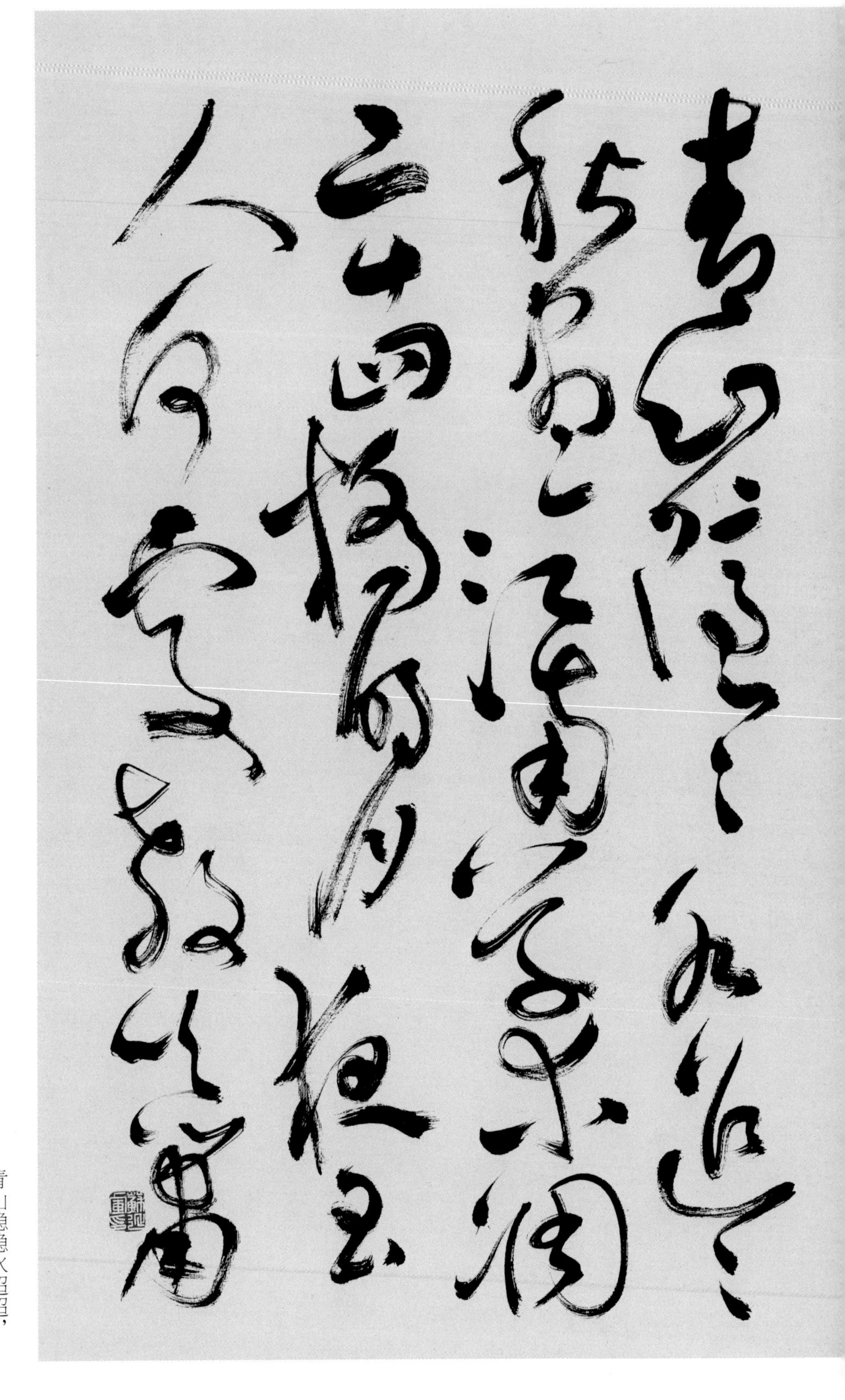

青山隐隐水迢迢，
秋尽江南草木凋。
二十四桥明月夜，
玉人何处教吹箫。

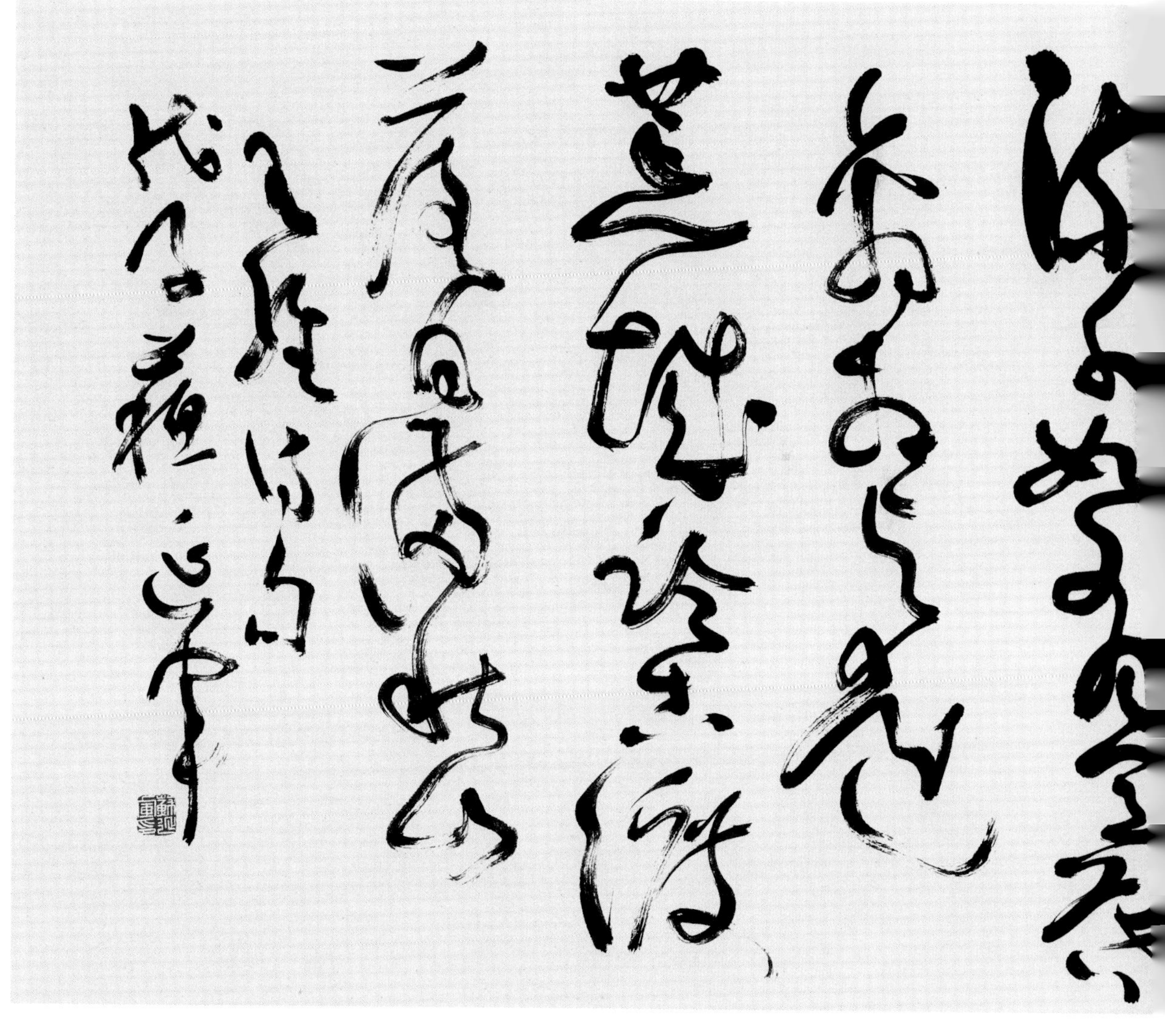

流水如有意，暮禽相与还。
荒城临古渡，落日满秋山。

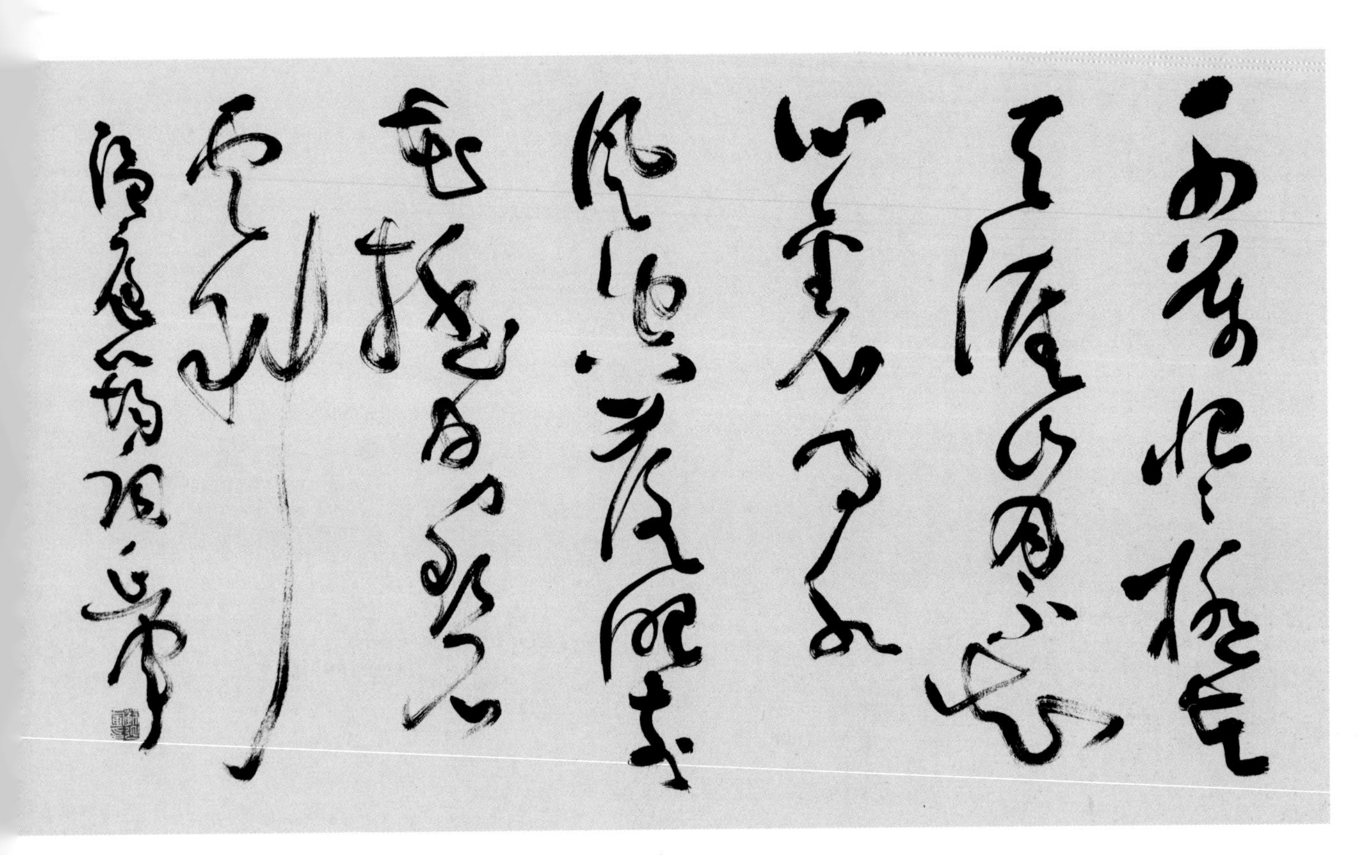

千万恨，恨极在天涯，山月不知心里事，
水风空落眼前花，摇曳碧云斜。

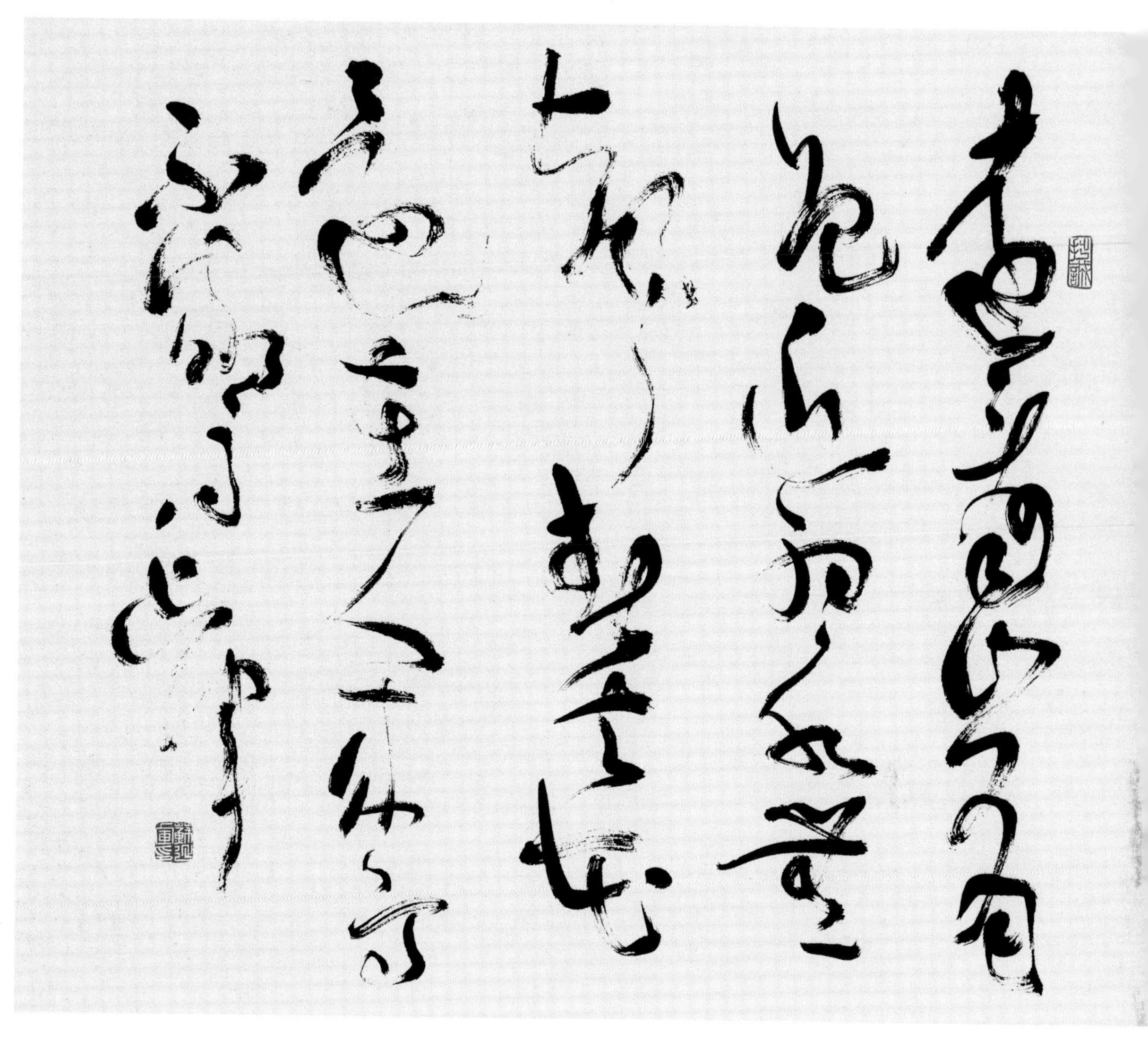

远看山有色，近听水无声。
春去花还在，人来鸟不惊。

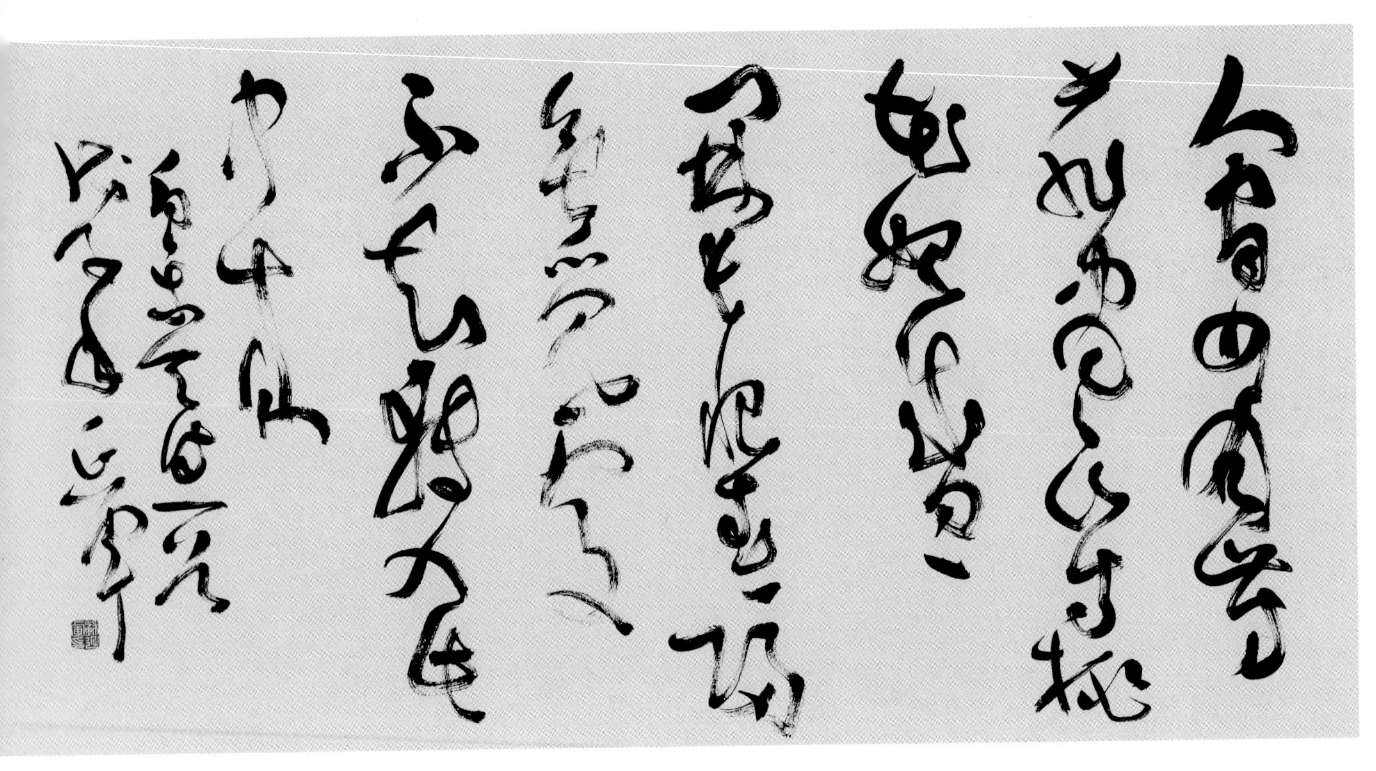

人间四月芳菲尽，山寺桃花始盛开。
长恨春归无觅处，不知转入此中来。

弄石临溪坐，寻花绕寺行。
时时闻鸟语，处处是泉声。

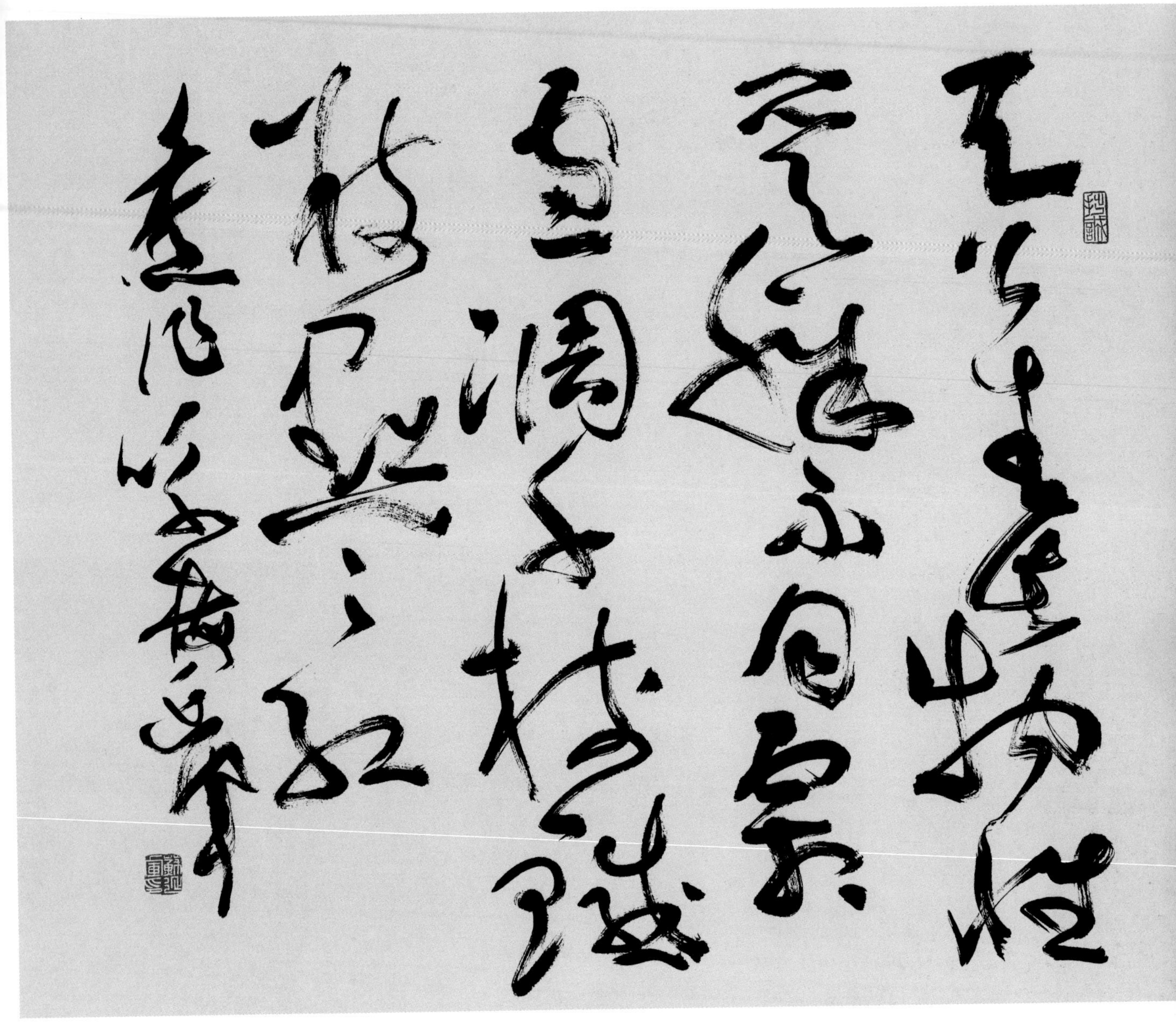

天公生此物，性质殊不同。
霜雪凋千树，铁枝点点红。

竹庭残雪净
林壑寒流清

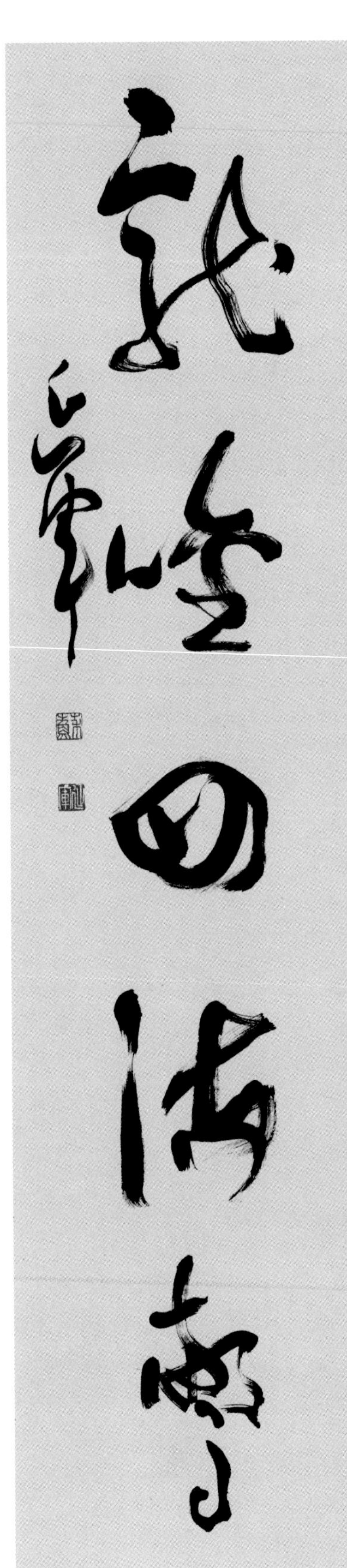

虎啸千山动
龙吟四海惊

察天物之灵
修古今其变

对月临风有声有色
吟诗把酒无我无人

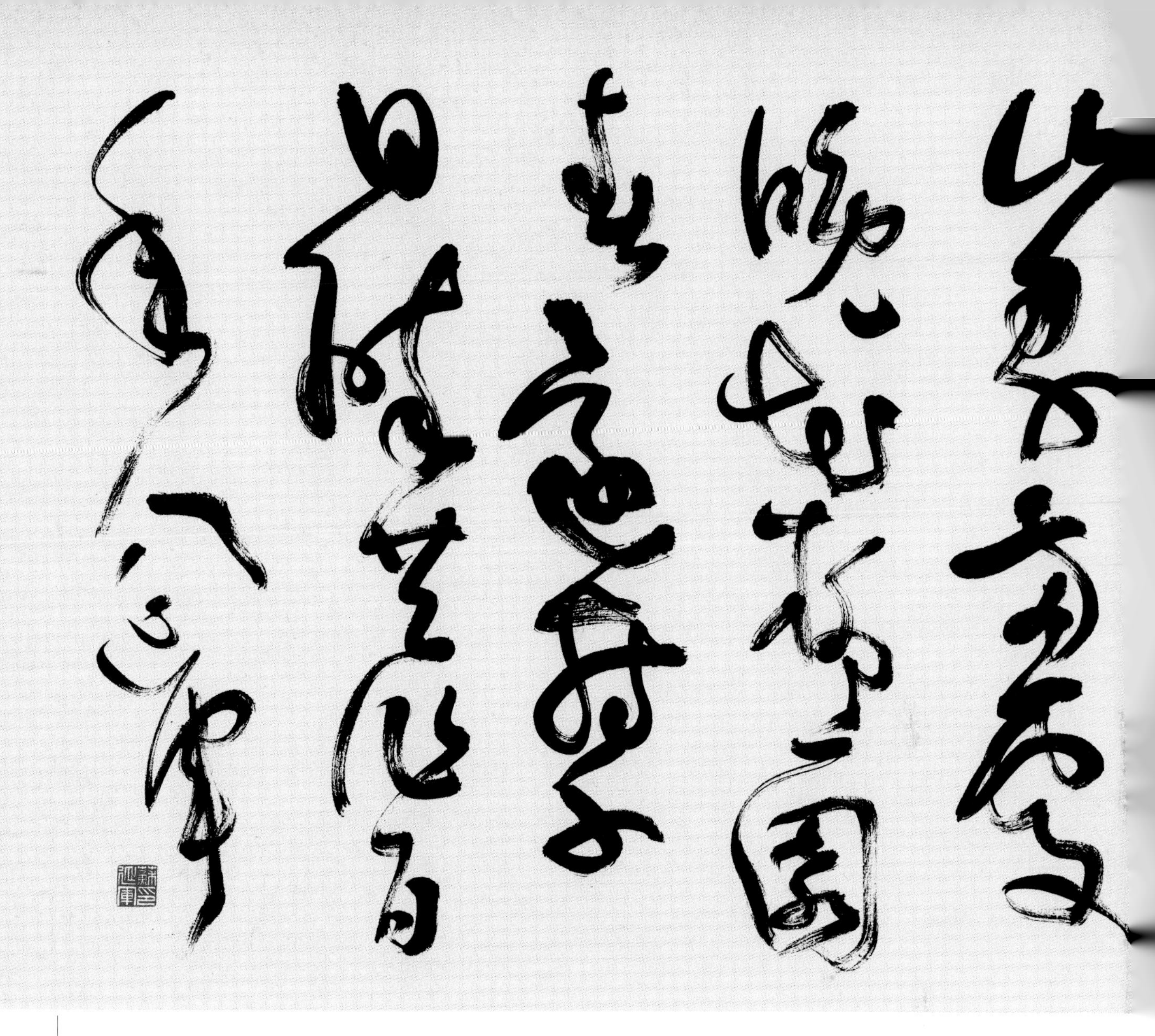

山泉两处晚，花柳一园春。
还持千日醉，共作百年人。

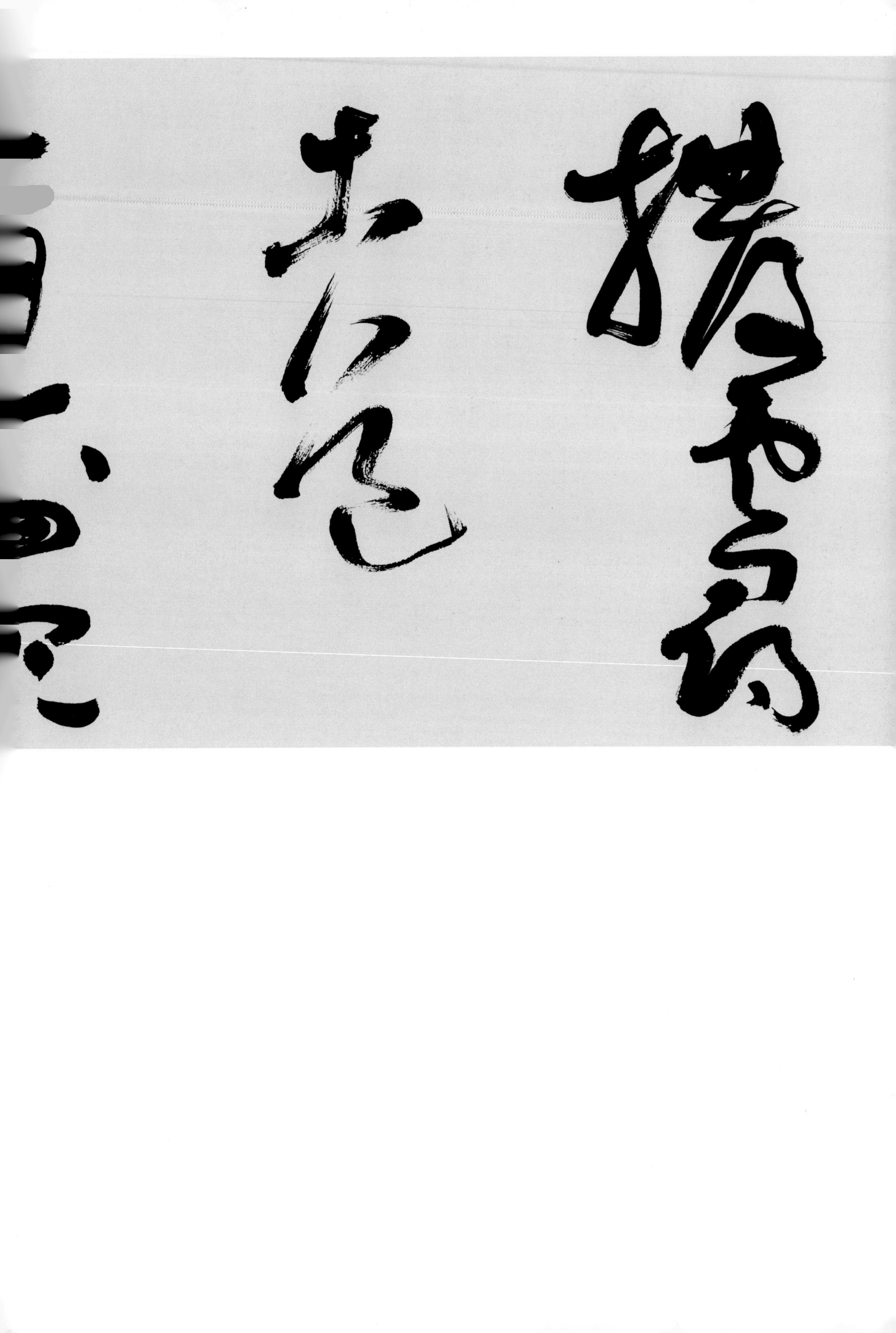

拨云寻古道　倚树听流泉

宠辱不惊

吾醉后能作大草，醒后自以为不及。然醉中亦能作小楷，此乃为奇耳。

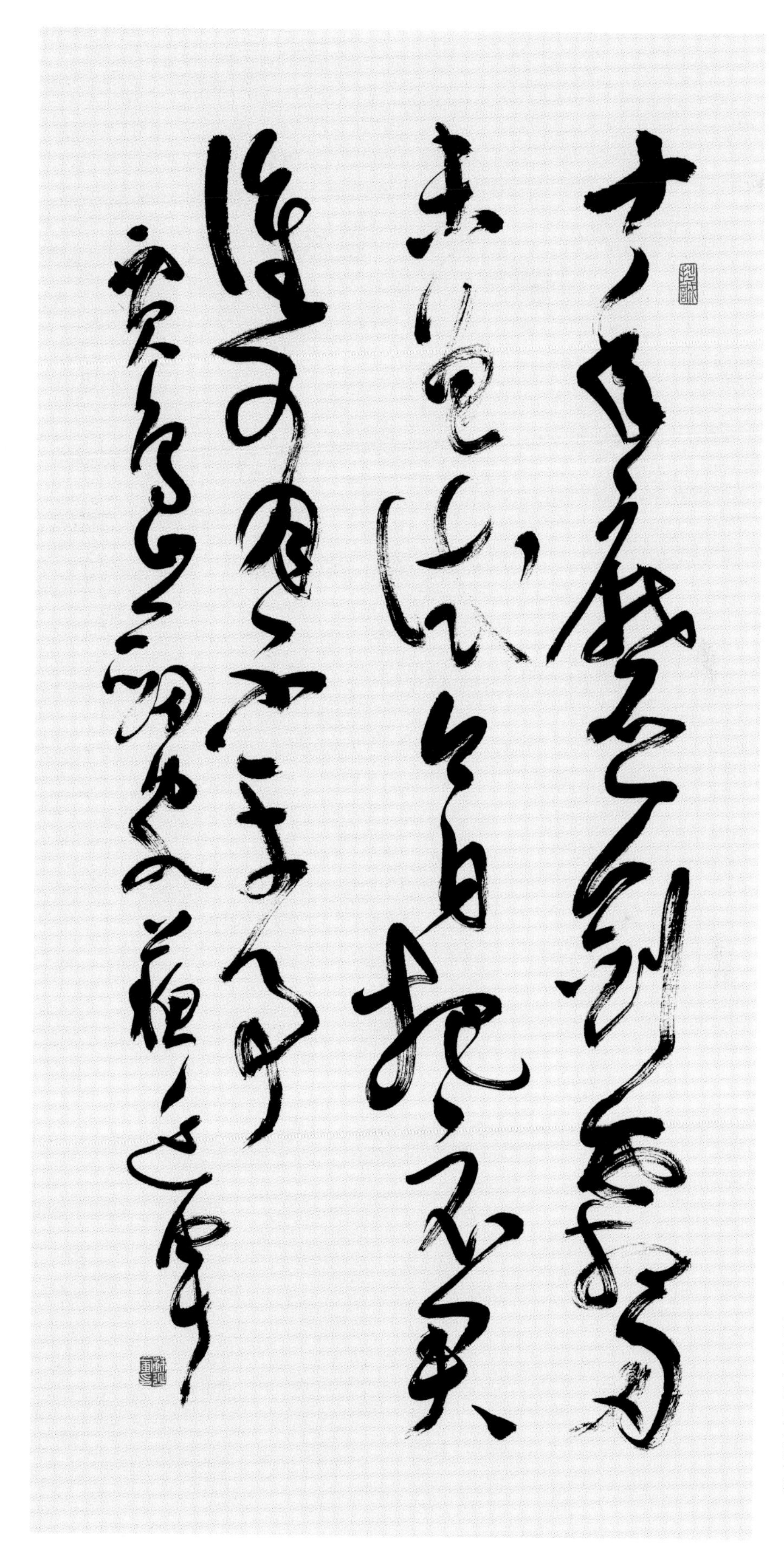

十年磨一剑，霜刃未曾试。
今日把示君，谁有不平事。

长风破浪会有时　直挂云帆济沧海

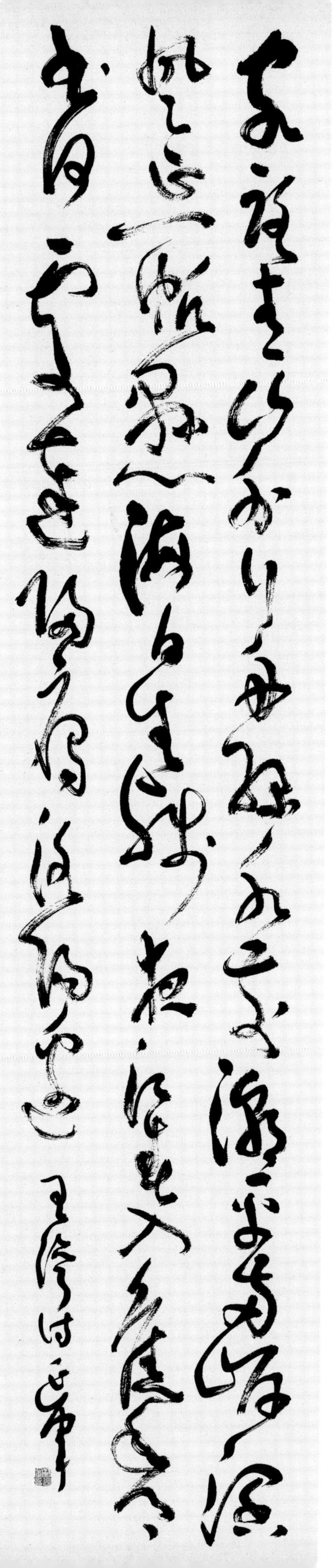

客路青山外，行舟绿水前。
潮平两岸阔，风正一帆悬。
海日生残夜，江春入旧年。
乡书何处达，归雁洛阳边。

白也诗无敌，飘然思不群。
清新庾开府，俊逸鲍参军。
渭北春天树，江东日暮云。
何时一樽酒，重与细论文。

离离原上草，一岁一枯荣。
野火烧不尽，春风吹又生。
远芳侵古道，晴翠接荒城。
又送王孙去，凄凄满别情。

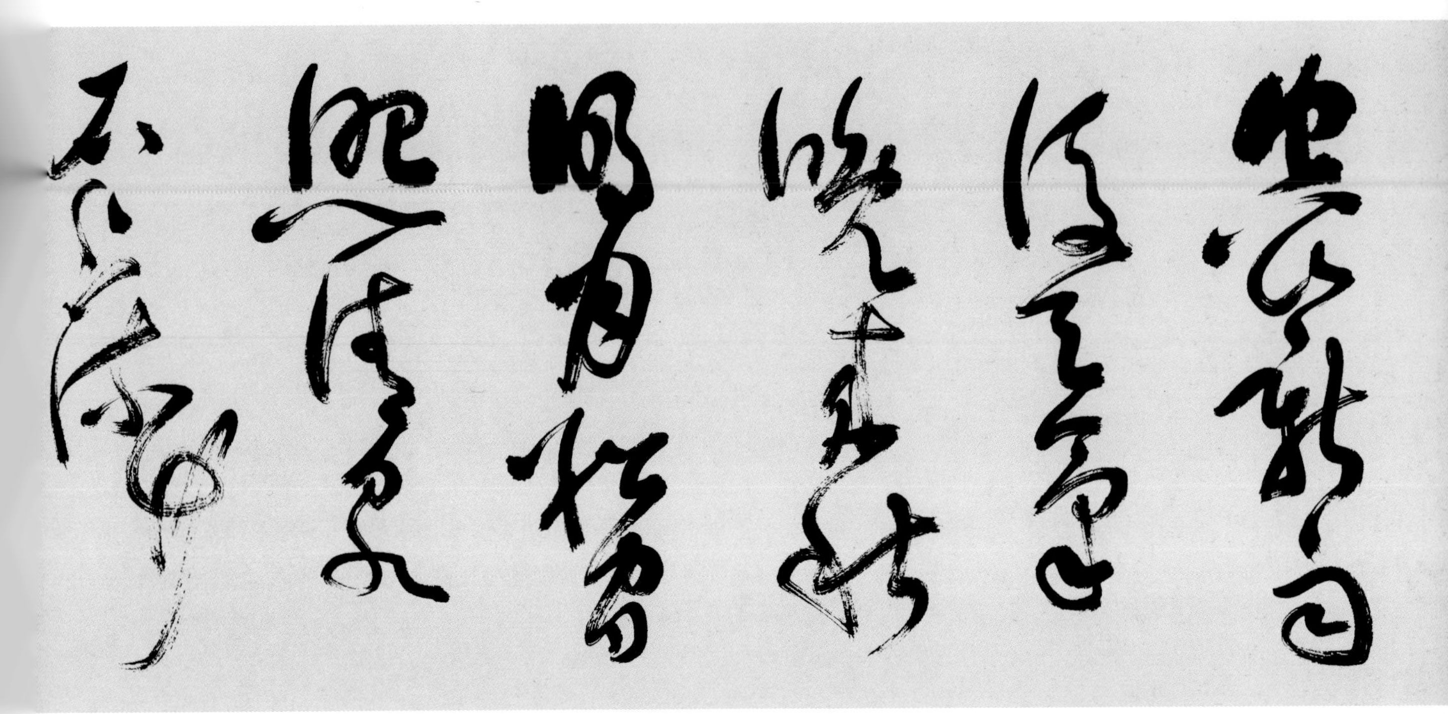

空山新雨后，天气晚来秋。
明月松间照，清泉石上流。
竹喧归浣女，莲动下渔舟。
随意春芳歇，王孙自可留。

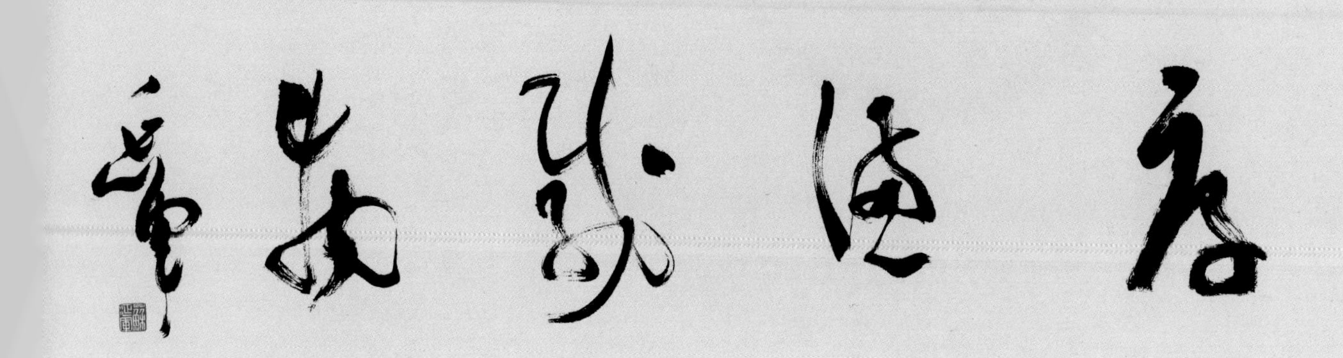

厚德载物

读书晨寂处 听雨夜阑时

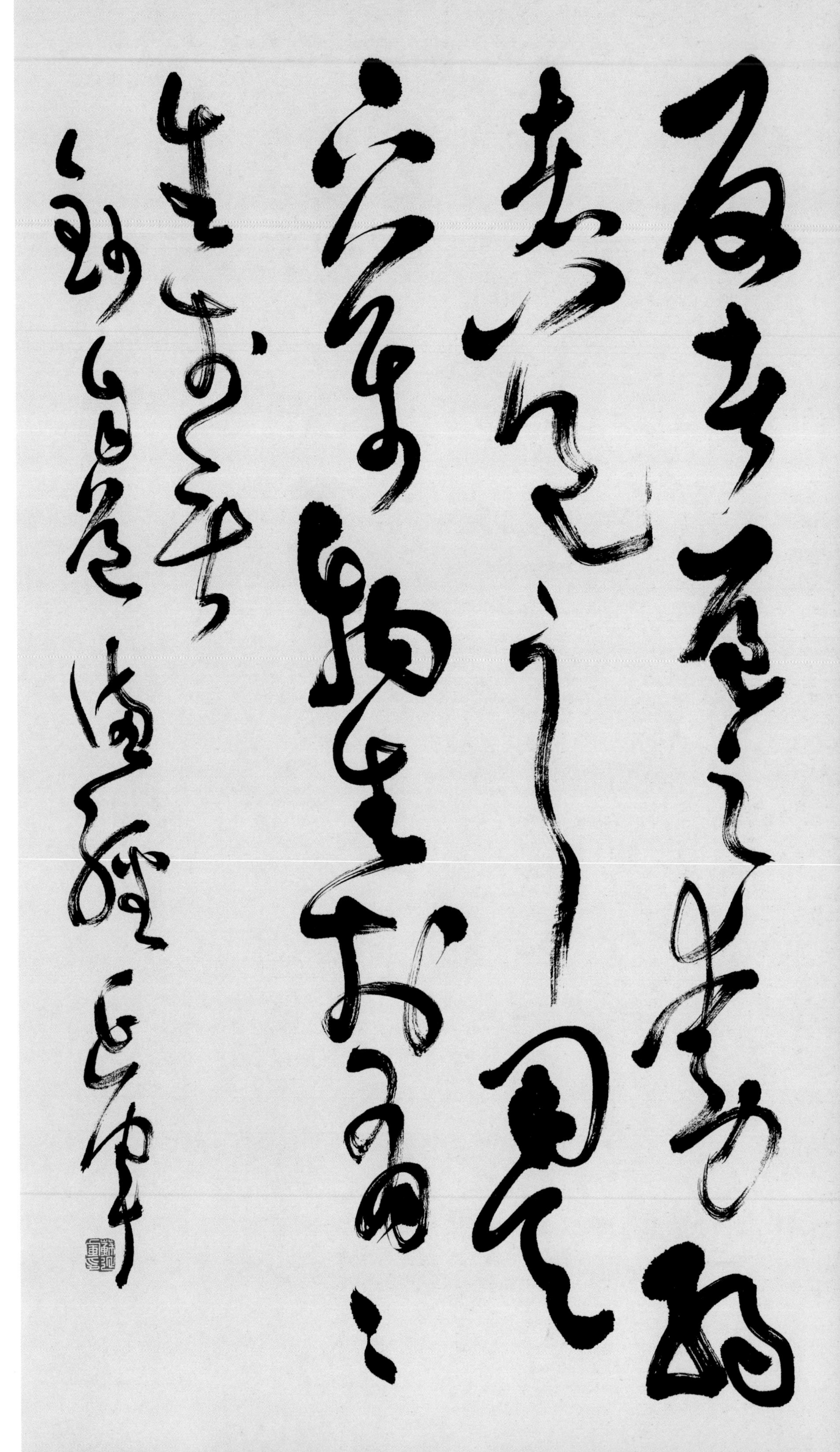

反者，道之动，弱者，道之用。
天下万物生于有，有生于无。

登山得玉
入水获珠

清风满怀

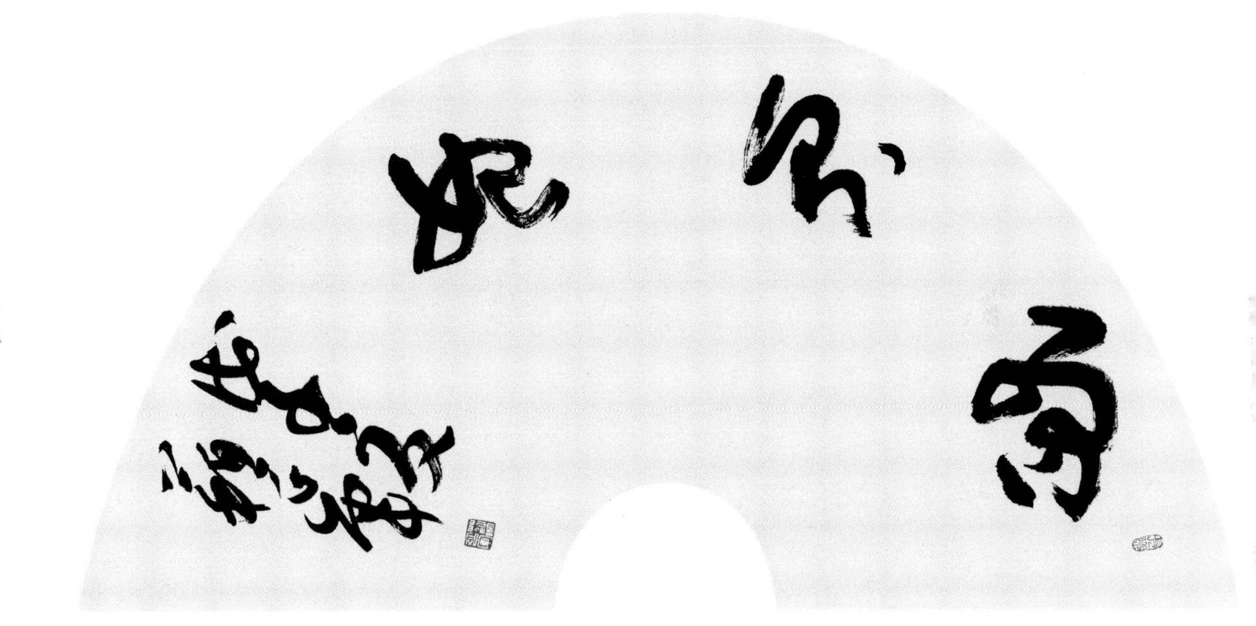

终则始

得诗书落叶
煮茗汲寒池

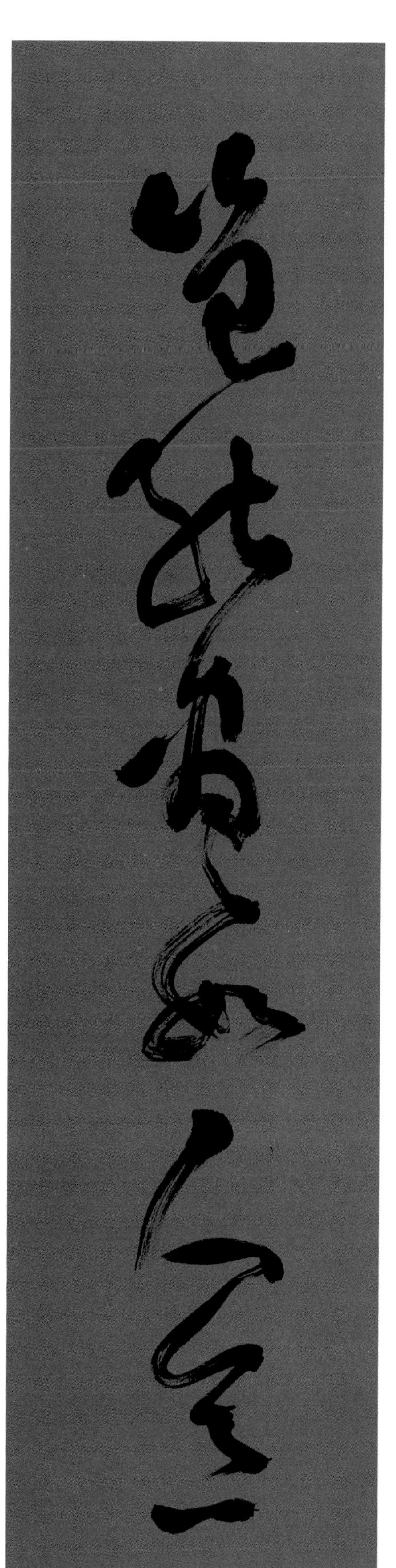

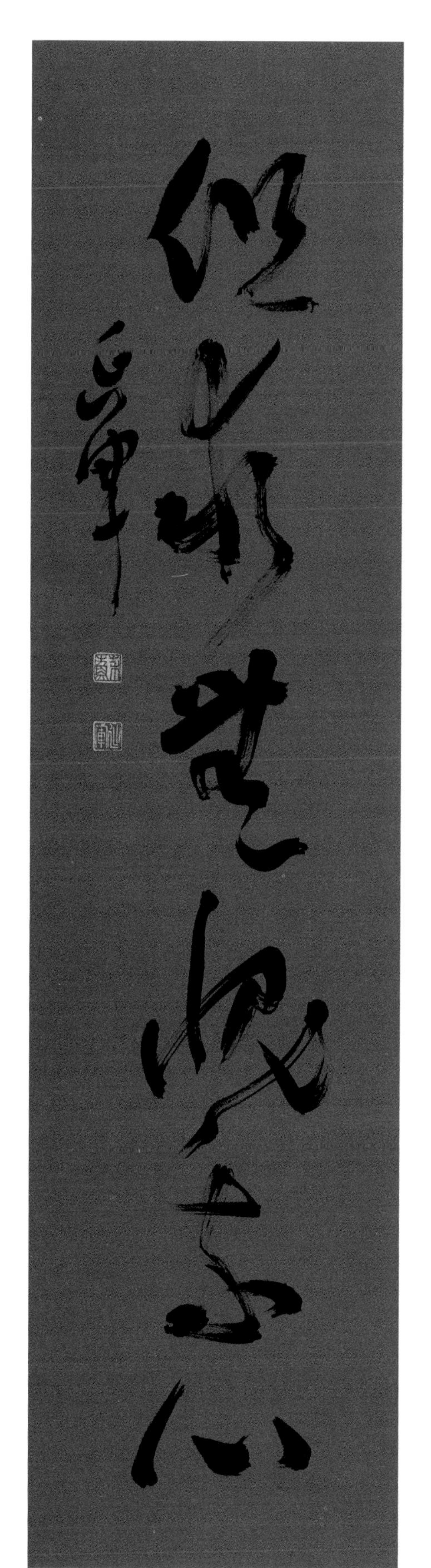

岂能尽如人意
但求无愧我心

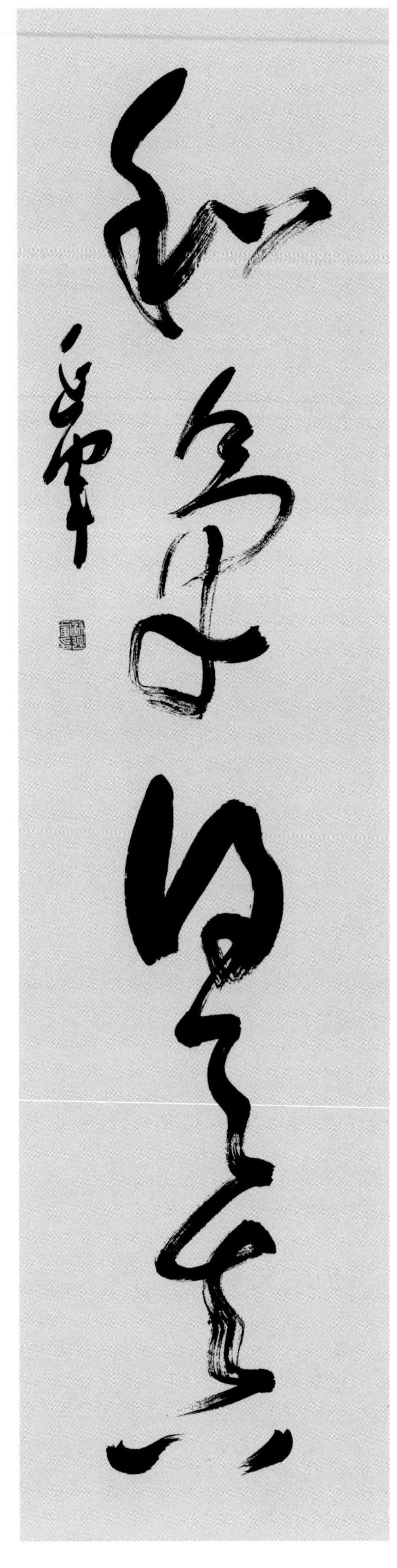

高怀见物理
和气得天真

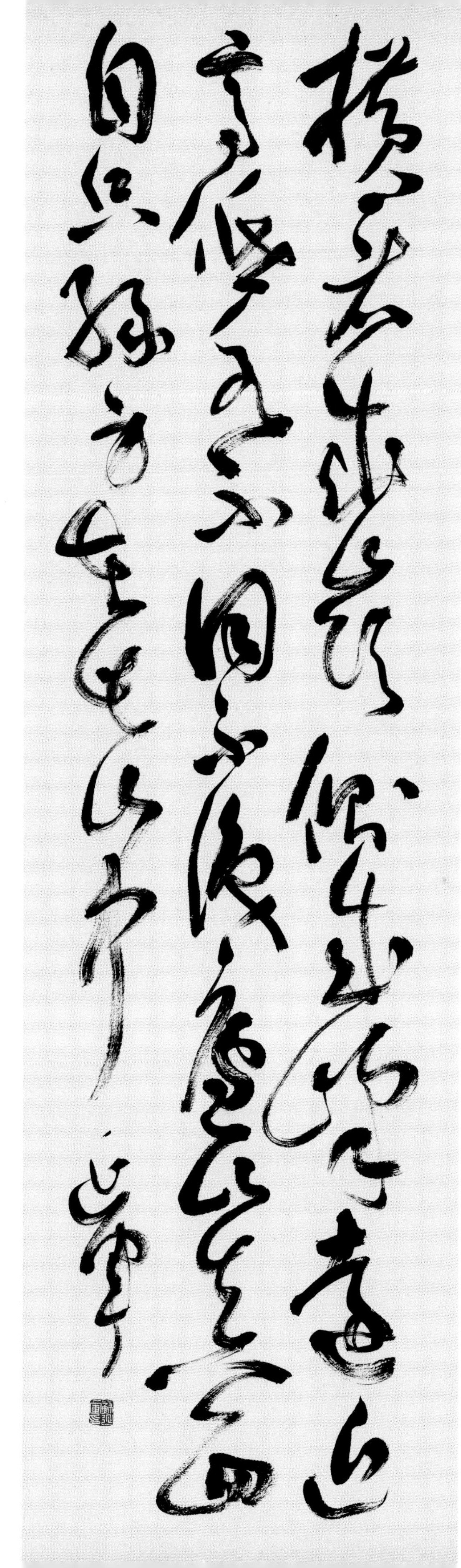

横看成岭侧成峰，远近高低各不同。
不识庐山真面目，只缘身在此山中。

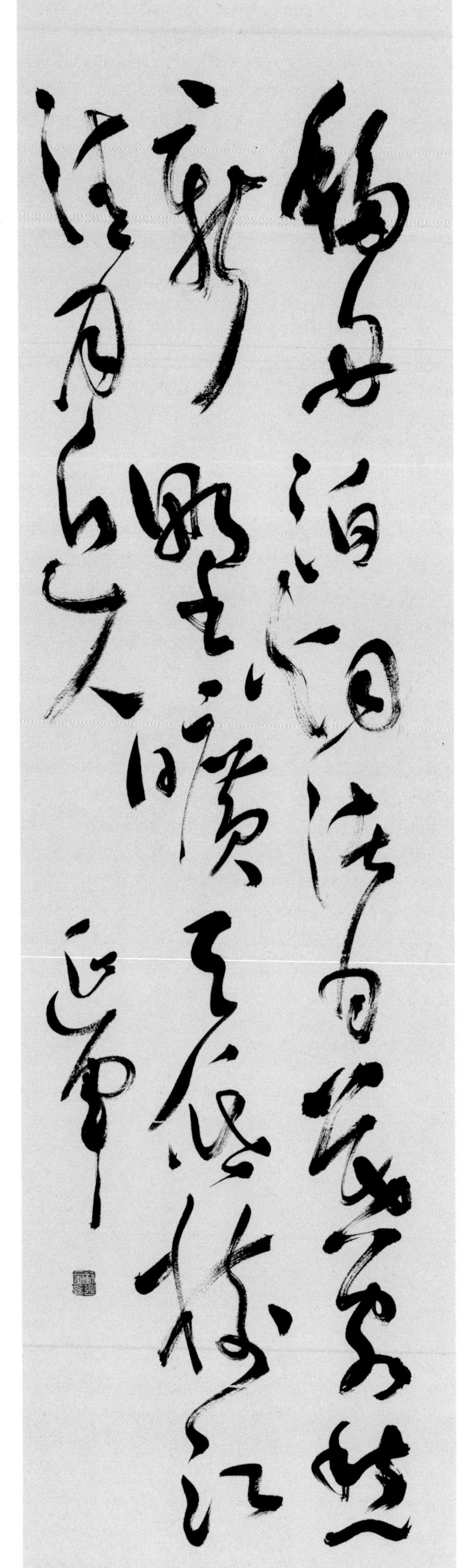

移舟泊烟渚，日暮客愁新。野旷天低树，江清月近人。

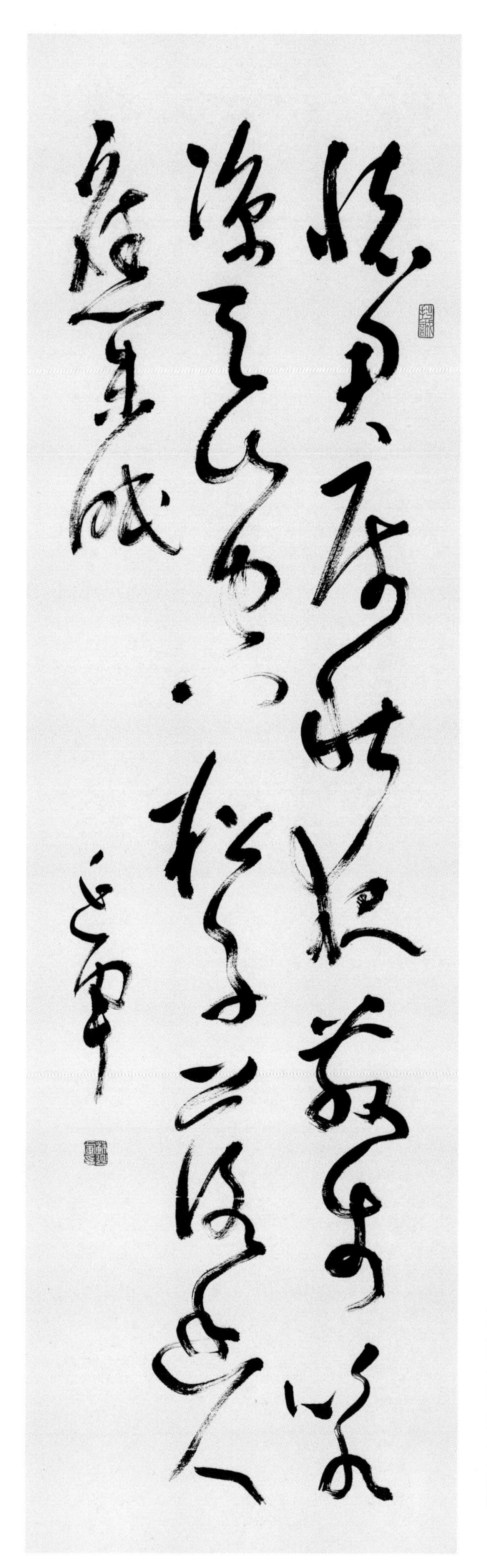

怀君属秋夜，散步咏凉天。
山空松子落，幽人应未眠。

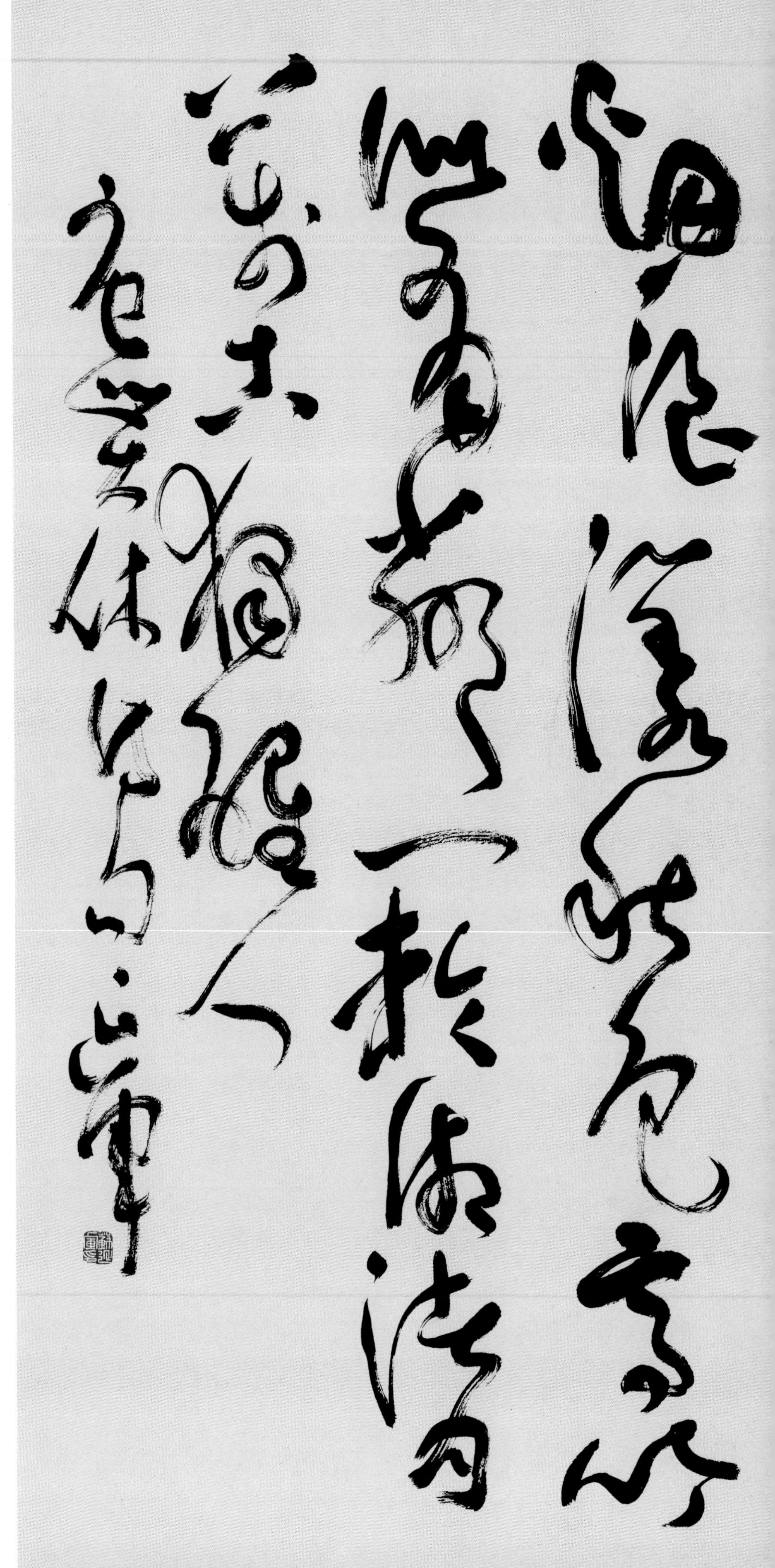

烟浪漾秋色，高吟似有邻。
一轮湘渚月，万古独醒人。

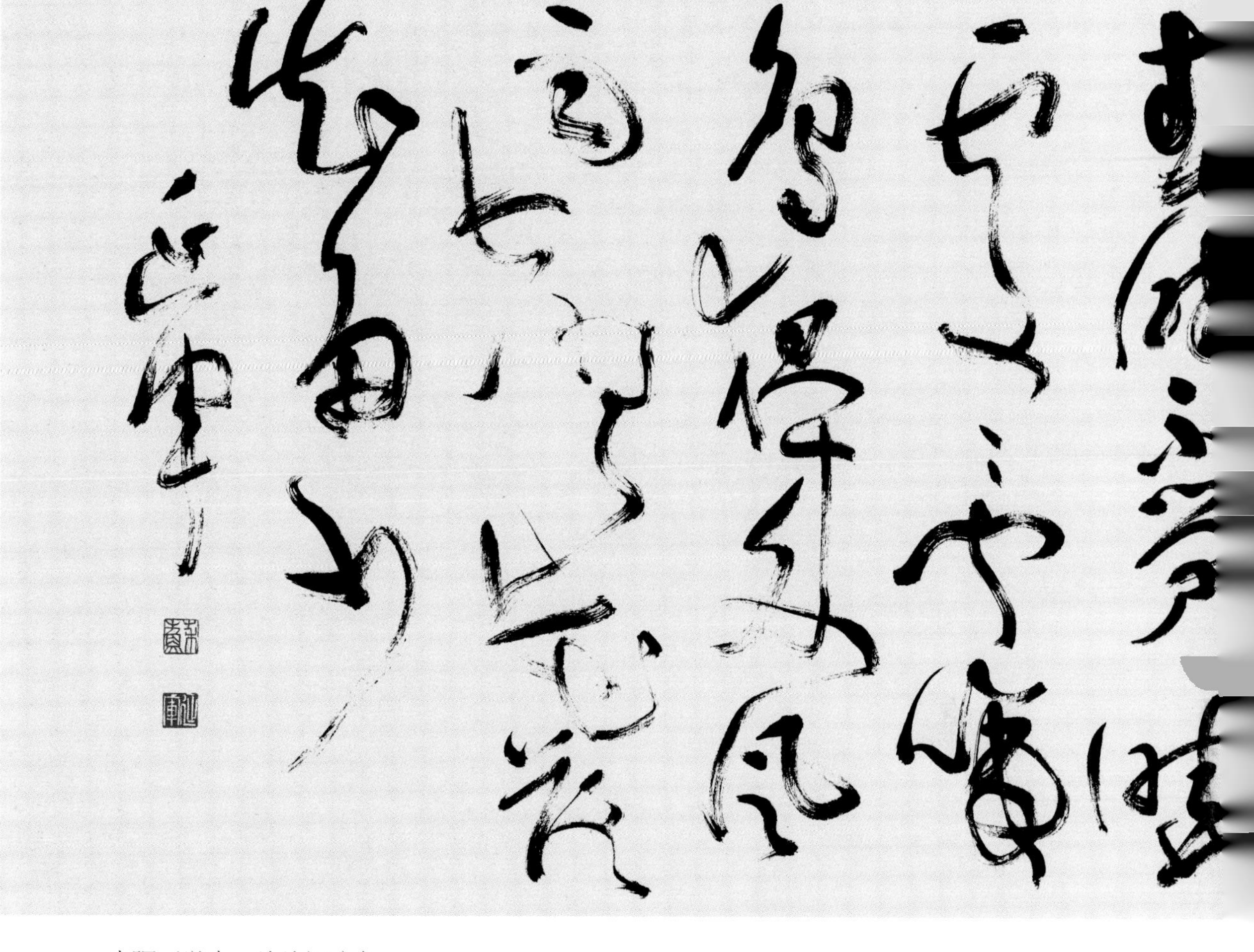

春眠不觉晓，处处闻啼鸟。
夜来风雨声，花落知多少。

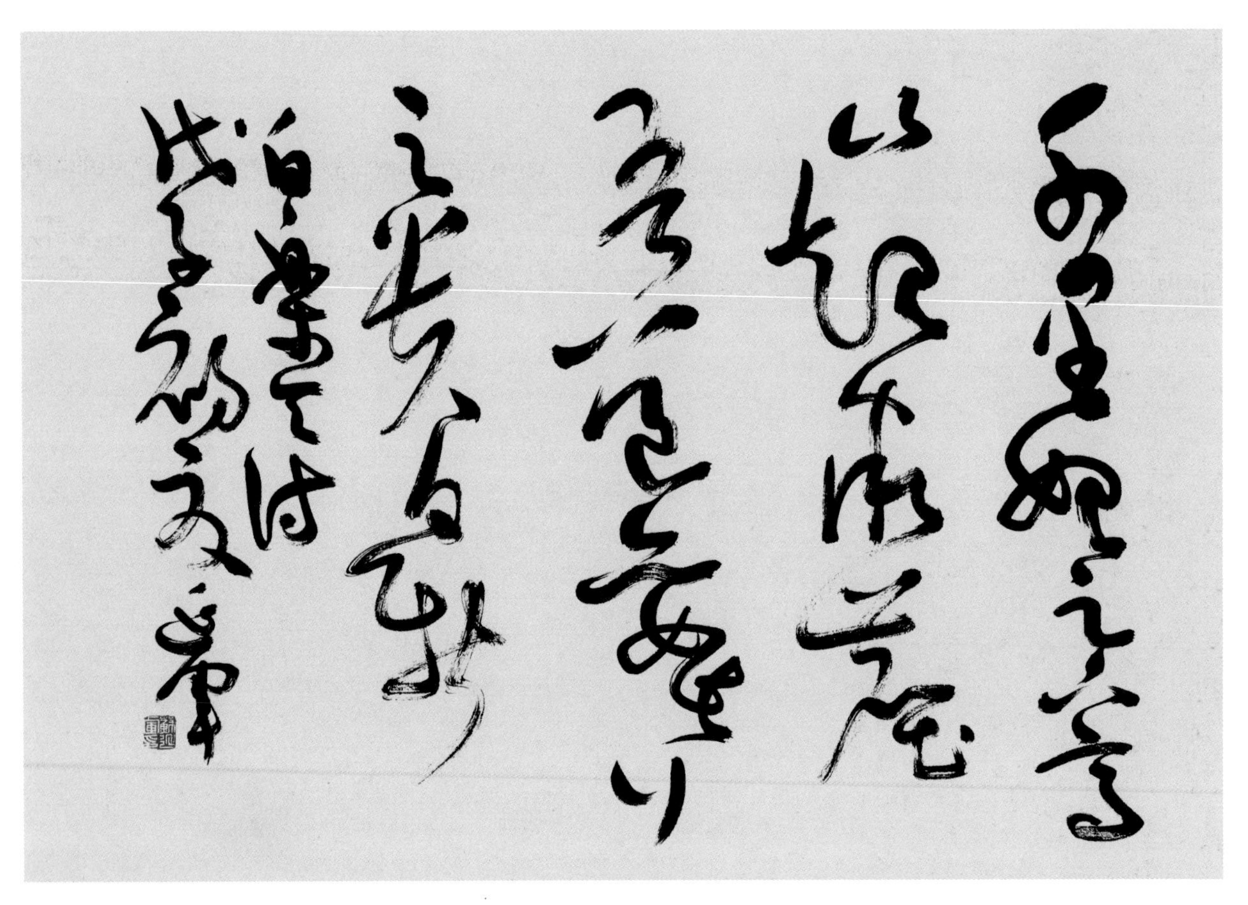

千里始足下，高山起微尘。
吾道亦如此，行之贵日新。

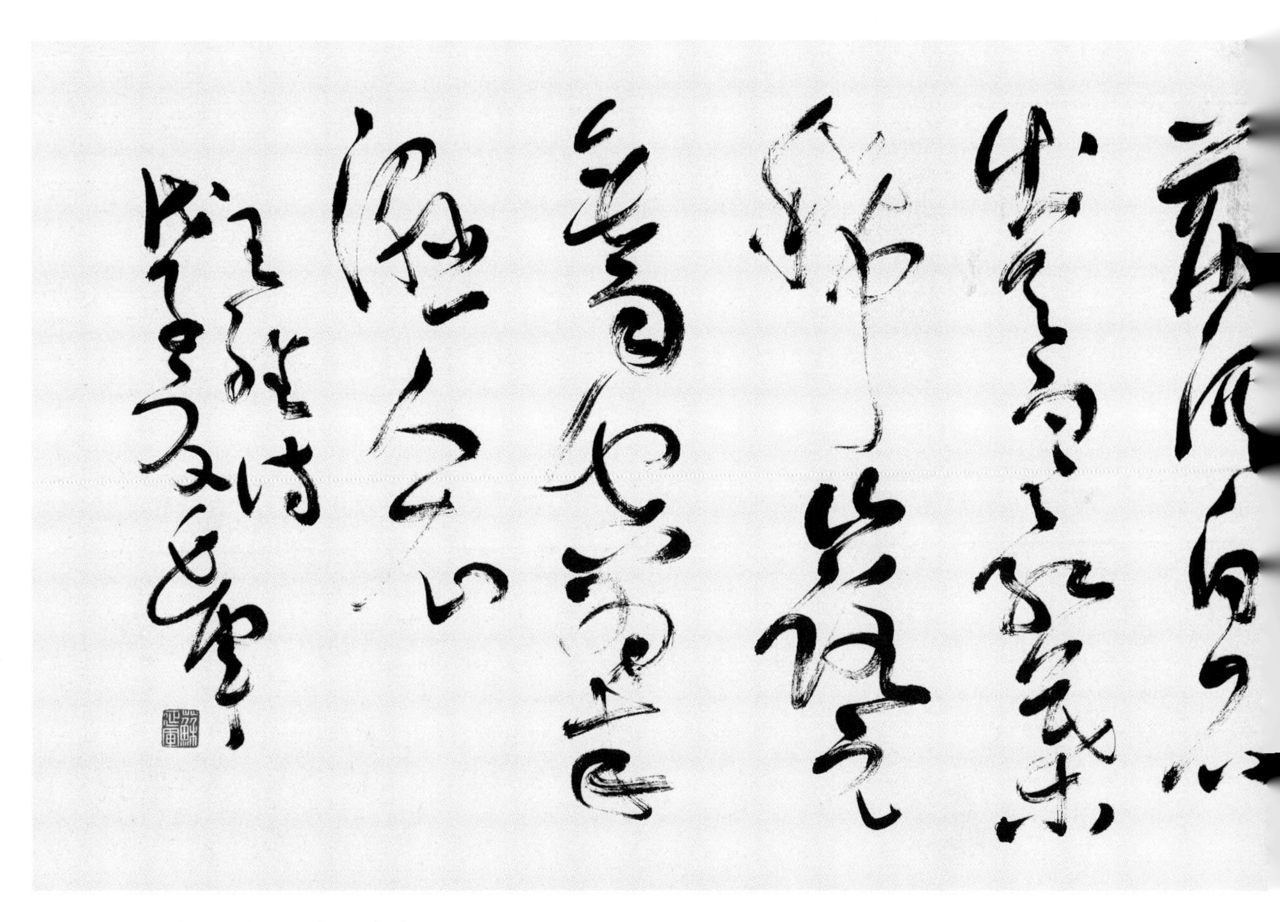

荆溪白石出，天寒红叶稀。
山路元无雨，空翠湿人衣。

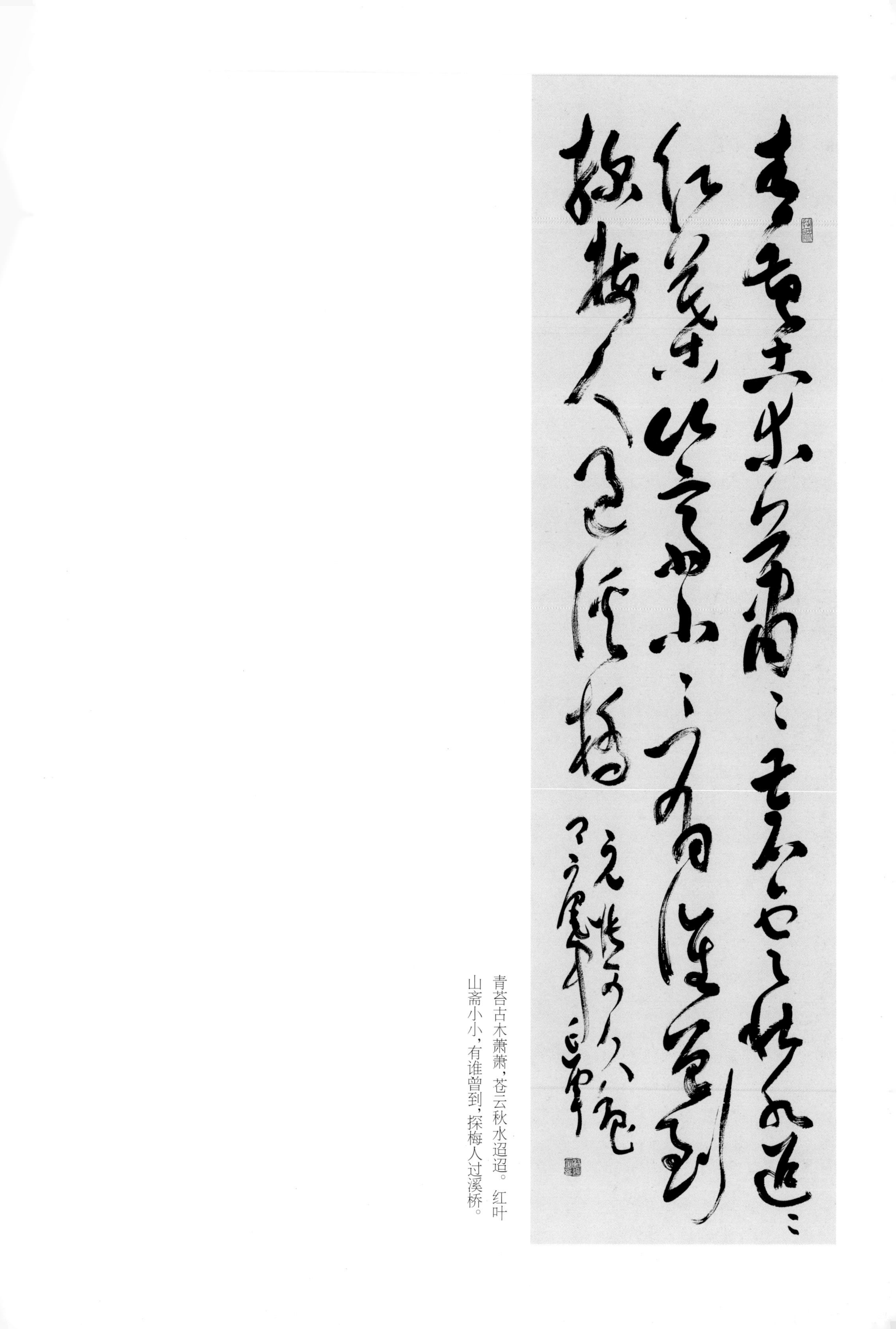

青苔古木萧萧，苍云秋水迢迢。红叶山斋小小，有谁曾到，探梅人过溪桥。

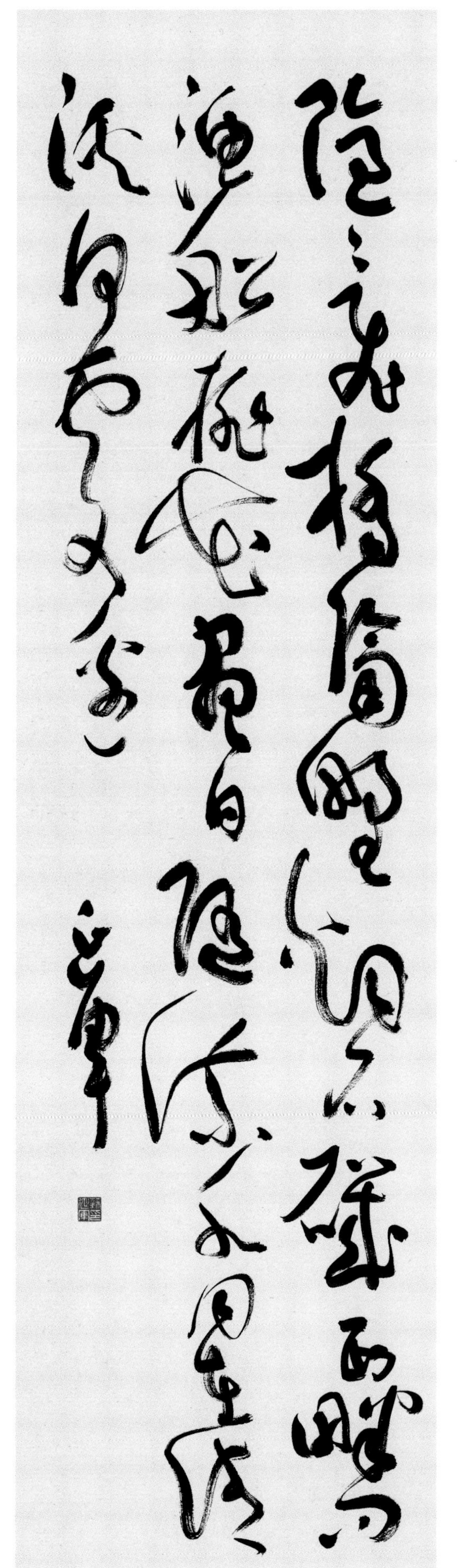

隐隐飞桥隔野烟，石矶西畔问渔船。
桃花尽日随流水，洞在清溪何处边。

见贤思齐焉，见不贤而自内省也。

感时思报国
拔剑起蒿莱

几多感悟

学书二十余载，历经坎坷与艰辛，结下翰墨之缘。虽有些许成就，然诸多感悟深积于心。值此赘言，与同道共勉。

余喜书法，尤以草书为甚。究其缘由，则或对其写意性、抒情性、多变性之偏爱，或对其层次感、节奏感、韵味感之欣赏，或对其冲击力、震撼力、感染力之钟情，……对草书艺术之认知与痴迷，难以数语道明。

1989岁秋，于书市得张瑞图草书帖，爱不释手，习之不辍。后知张瑞图乃学孙过庭、苏东坡有所得。遂探本溯源，致力于研习张芝、二王、张旭、怀素、黄山谷等诸家，心追手摹，渐有所悟，受益匪浅。回顾此经历，感触颇深：愈知前贤之所以有所建树，皆源于对前人之承袭与发展。故此，潜心研习古人之书法理论、法度与技法，方能实现真正意义之继承与创新，更为对书法艺术规律之尊重。

观念之后，其必曰方法。书法之审美标准与价值取向，是为书之要，然学书之法尤为关键。『师古而不泥古』、『转益多师』、『博采众长』，皆为至理。书必先备于法，然后加以精勤，自成佳品。于此，古代先贤抑或当代名家，皆语焉甚详，不复赘语。

书法乃中华独特之艺术形式，予人以无限与自由之创作空间。于书法艺术风格与个性，虽见仁见智，然其终归为书家学识、修养及艺术实践综合之体现，乃是有意无意之间对书法艺术之理解及人生之通透表达。唯有摆脱时弊之扰，以童稚心境，志存高远，敢于『扬弃』，惟一惟精，乃能不断拓展书法艺术之新境界。

老子曰：『五色令人目盲，五音令人耳聋，五味令人口爽，驰骋畋猎令人心发狂，难得之货令人行妨。是以圣人为腹不为目。故去彼取此。』人生之道如此，为书之道何不如此？

苏延军

二〇〇八年八月 于长春